劉福春・李怡 主編

民國文學珍稀文獻集成

第四輯

新詩舊集影印叢編　第133冊

【穆木天卷】

旅心

上海：創造社出版部 1927 年 4 月 1 日初版

穆木天 著

花木蘭文化事業有限公司

國家圖書館出版品預行編目資料

旅心／穆木天 著 -- 初版 -- 新北市：花木蘭文化事業有限公司，2023〔民112〕

152面；19×26公分

（民國文學珍稀文獻集成・第四輯・新詩舊集影印叢編 第133冊）

ISBN 978-626-344-144-6（全套：精裝）

831.8 111021633

ISBN-978-626-344-144-6

9 786263 441446

民國文學珍稀文獻集成・第四輯・新詩舊集影印叢編（121-160冊）

第133冊

旅心

著　　者　穆木天
主　　編　劉福春、李怡
企　　劃　四川大學中國詩歌研究院
　　　　　四川大學大文學學派
總 編 輯　杜潔祥
副總編輯　楊嘉樂
編輯主任　許郁翎
編　　輯　張雅淋、潘玟靜　美術編輯　陳逸婷
出　　版　花木蘭文化事業有限公司
發 行 人　高小娟
聯絡地址　235 新北市中和區中安街七二號十三樓
　　　　　電話：02-2923-1455／傳真：02-2923-1452
網　　址　http://www.huamulan.tw 信箱 service@huamulans.com
印　　刷　普羅文化出版廣告事業
初　　版　2023年3月
定　　價　第四輯121-160冊（精裝）新台幣100,000元　

旅心

穆木天 著

穆木天（1900～1971），原名穆敬熙，生於吉林伊通。

創造社出版部（上海）一九二七年四月一日初版。
原書三十二開。

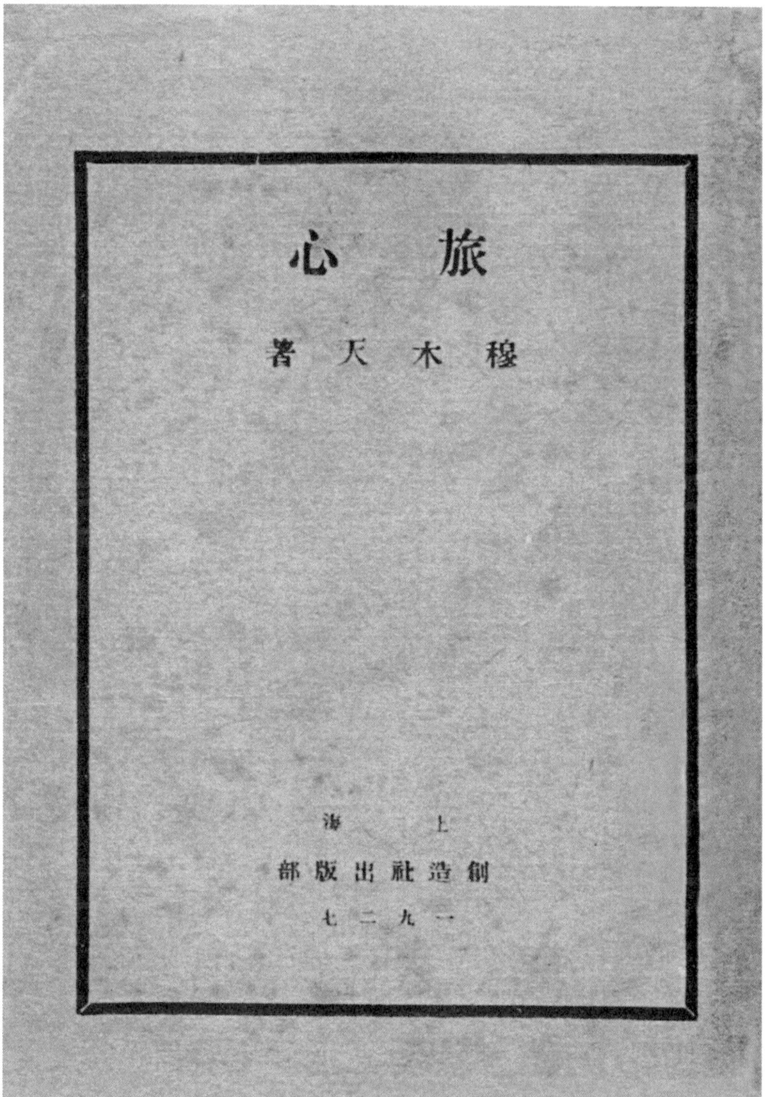

旅心

穆木天著

上海

創造社出版部

一九二七

旅心

作者
穆木天

上海
創造社出版部

1927, 2, 1, 付排

1927, 4, 1, 初版

1——2000冊

每冊實價三角五分

旅心

獻詩

獻與我的愛人麥道廣姑娘

我是一個永遠的旅人永遠步纖纖的灰白的路頭
永遠步纖纖的灰白的路頭在薄暮的灰黃的時候
我是一個永遠的旅人永遠聽寂寂的淡淡的心波
永遠聽寂寂的淡淡的心波在消散的茫茫的沉默
我心裏永遠飄着不住的滄桑我心裏永遠流着不住的交響
我心裏永遠殘存着層層的介殼我永遠在無言中寂蕩飄狂
妹妹這寂靜是我的心情妹妹這寂寞是我的心影
妹妹我們共同飄零妹妹唯有你知道我心裏是永遠的朦朧

一九二六，一二，一〇；廣州。

心欲

其一

我願作一個小孩子
濯足江邊的沙汀
用一片歡愉的高笑
消盡胸中的幽情

我願作一個小孩子
泅在木排旁的水中

恣獲回的游泳
洗盡胸中的幽情

我願作一個小孩子
撑小舟順江流東行
吸滿腹的江風
剛盡胸中的幽情

其二

我願化一飛鳥

（2）

高飛向雲際
逐着紅紫的天空
飛墜四海裏

我願化一飛鳥
長飛向密林
棲在翠柳的梢上
靜聽牧歌聲

我願化一飛鳥

靜坐船桅梢
看漁人秉燭對飲
漫將長夜消

（二三．六，三）

（ 4 ）

我願作一點小小的微光

我不願作炫耀的太陽
我不願作銀白的月亮
我願作照在伊人的頭上
一點小小的微光

我願照伊人的孤獨
我願照伊人的悲傷
因爲我愛伊人

沒有親戚　朋友　家鄉

（二四，九，二四，井，頭）

（ 6 ）

淚滴

我聽見你的眞珠的淚滴
滴滴在你的薔薇色的頰上
在蕭蕭的白楊的銀色蔭裏
周圍罩着薄薄的朦朧的月光

我聽見你的水晶的淚滴
滴滴在你的鵝白的絹上
濾在徐徐的吹過的夜風

對着射出湖面的光芒

我聽你的白露的淚滴
滴滴在綠絨般的草茵
你的象牙雕成的兩隻素足
在灰綠上映着黑沉沉的陰暈

我聽見有深谷的杜鵑細囀
我聽見湖中的蘆葦低語
我聽見有草蟲鳴唧唧

(8)

但他們都是爲你這幾點淚滴
啊 妹妹 你的淚滴苦如黃芹
啊 妹妹 你的淚滴甜如甘蜜
你的淚滴是最美的新酒
啊 妹妹 我最愛吃

湖水旁邊
朦朧月裏
白楊蔭下

我聽見了世上最美的伊的淚滴

（三四，一〇，一一，飛鳥山寓）

（10）

江雪

綿花般的雪 重重
松花的江上徐徐的渡了一片冷風
吹送來沉幽的晚禱似的鐘聲
啊 肅慎的古城
這是不是你的福音的孤獨的凄鳴
鵝絨般的雪 霏霏

（11）

雞林的原頭昂昂的披上了一身經衰
射放出沉寂的嗚咽般的悲哀

啊 肅愼的古城
這是不是你的福音的荒塚壘壘

皎潔的雪花 冰冷
罩住了炎騰騰的大平原的心裏熱情
隱映着紅紅的烈火似的闃靜

（12）

啊 肅愼的古城
這是不是你的福音的潛窒的光明

(二四，一二，一〇，吉林)

水聲

水聲歌唱在山間
水聲歌唱在石隙
水聲歌唱在懸柳的蔭裏
水聲歌唱在流藻的的梢上

妹妹 你知道不
哪裏是水的故鄉

（ 11 ）

月亮的銀針跳躍在灰色的檜梢
月亮的銀針與鵝茸般的漣漪相照
看啊　宿魚兒急急的逃走了
那裏蕩漾着我們的灰影與纖纖的小橋

來　拾起我們的腐朽的棹杆
去蕩那隻方舟到灰色的蘆葦中間
我們聽着水聲明月的唱和
我們遙望着那黯淡的魚燈點點

我們要找水聲到魚人的網眼
我們要找水聲到山間的泉源
我們要找水聲到海口的沙灘
我們要找水聲到那裏的江灣

我們要找水聲在稻田的溝裏
我們要找水聲到修竹的叢間
來 拾起我們那朽腐的棹杆
我們共蕩在夜暮裏我們那孤孤的小船

(16)

妹妹 水聲是否歌唱在你的眼尖
妹妹 水聲是否歌唱在你的胸膛
妹妹 水聲是否歌唱在你的髮梢
妹妹 水聲是否歌唱在你的鬢旁

妹妹 你知道不
哪裏是水的故鄉

來 拾起我們那麼朽的棹杆
趁着這月色朦朧 天光輕淡

我們在河上輕輕的蕩漾我們的小舟
捋着空間的灰色小花　直找到水鄉的盡處

（二五，三，二一）

（18）

雨後的井之頭

我愛這一帶的冷池
周圍環繞着森森的墨樹
特在降過這濛濛的細雨
上罩着一層輕輕的薄霧

我愛那悠悠的灰紗的浮雲
捋着蛋白石般的天空的濬淡
悠悠 悠悠 悠悠 悠悠的走下去了

渡過了桑田 林尖 走下去了 直向彼岸
最可愛的是塔塔渡過的一羣的塞鴨
開開了一片漣漪 襯漾在靜靜的
散瀉的 嫩嫩的浪花 「鴨 鴨 鴨」
不住的歡唱 好如讚美說「朦朧呀 我們的家」

「唧唧 唧唧 唧唧」是什麼的水鳥呀
這樣的哀啼 這樣的哀啼
梭似的穿入了灰色的枯葉的叢裏

(20)

梭似的穿出來了 啊 那裏去

那一片纖纖的嬌麗的灰紫的小花
沉思在那裏 在那裏幽睡的水涯
好如夢想着遠國 遠國的灰色的小花
呀 蘼蕪的哀聲呀 虛偽的歌聲 休要管他

潺潺的那裏的水源呀 不住的流
滴 滴 滴 滴 你這滴滴的淚滴呀
是人類的心油 啊 你不得不流

——啊 橋上的紅裾的少女們呀 歡樂 歡樂 歡樂 不知愁
那裏的腐草 那裏的枯舟……
你們知道不 這是哪年的秋……
你們知道不 那裏的工人們呀爲什麼掊土
你們要說吧 『逝者如斯夫 苦悶 歡樂 無頭』
虛僞的光明呀 那裏 休玷辱了她——
我這愛人——灰淡的水鄉——朦朧的他
夜幕 你掛在林梢 夜幕 你蓋住池脣

(22)

夜幕 你蓋住了我 啊 我跟她擁抱了

（一九二五，五，二一，本略）

伊東的川上

我聽見伊人的歌聲
振蕩在溟冥的川上
逐着灑灑的夕風 旋轉 靜散 流浪
如泣 如喜 如嗔 和應着流水的激浪

是伊呀 深思着水瓢兒的蕩漾
是伊呀 振顫着綿軟的新裝
是伊呀 追往事在蜘蛛的澗旁

是伊呀　瞅着林梢想起了心的故鄉
啊　是哪裏吹送來伊人的歌聲呀
在這灰暮的川上　夕風中狂蕩

溫和的鄉下人走下來了
慢慢的低吟着牽着老牛
河岸上蹲着捉魚的老叟
那裏的蘆葦裏微蕩着久棄的孤舟

我捋着夕暮的烟絲 一縷 一縷的
順蜿蜒的幽徑 疾走 靜停 寂寂的尋找
啊 伊人的歌聲是在那裏了
那是不是低低的對語 兩個灰影動搖

又一個鄉下人走下來了
我仍順平平的河邊 靜靜的 疾走 慢停 尋找
啊 伊人的歌聲越法的清楚了
啊 忽的 又聽不見了——遠遠的傳來了一聲的狗叫

(26)

聽 伊人的歌聲像在那裏唱叫
那裏的樹森森的黑墨的山腰
那裏的靠着山根的覆着青苔的野廟
那裏的流水潺潺的稻畝州中間的幽徑
那裏的纖纖的夾道上的石板的小橋
啊 伊人的歌聲又如透出那燈火點點的林梢

伊人的歌聲顫顫的蕩搖——
又如溫柔 又如狂躁 ——在夕暮的川上蕩搖
我彷彿聽得清楚 啊 却又聽不見了

啊 是誰送來伊人的歌聲在這夕暮狂狂的瀟搖

（一九二五，五，二三，本鄉）

（ 28 ）

野廟

一

微動的繩錘無精的蕩搖
綠鏽掩住的古鐘欲響響不出了
歲月蝕腐的褪色的帳帷裏頭
沉默的佛影只得寂寂的冷笑

房簷上浮着黃褐的枯色
老樹上掩着濕潤的青苔

鳥雀的歡叫喚不得行人來
潺潺的流水仍不住的徘徊

樹葉刷刷　好如告訴了當年的事情
腐朽的薰香寂寂的放射出灰色的陰影
幽靜中凝着多少的溫和的酸情
聽不見人聲　——心波振和着朦朧的憧憬

二

我願作無精的蕩着的繩鏈

（30）

我願作贅笑的佛像鏽腐的老鐘
我願心裏波震着伊人的脚步聲
嘗着充實的寂靜 唱應着憧憬的朦朧

我願靜坐 等着到來了星空
聽着我的靈魂的瀉出的灑灑的活動
襯在銀灰色的空間中 流動 流動
流蕩出小河 大川 湖 海 流蕩在夕暮的渦中
流蕩在夕暮的渦中 流蕩 流蕩

流蕩到伊人的心中 又流出伊人的身上
直等到虛弱的月亮昇出
細鑑美他的波漾與有的浮影交響

（四，一，夜）

（32）

雨後

穿上你的輕飄的木屐 穿上你的輕軟的外衣
趁着細雨濛濛 我們到濕潤的田裏

我們要聽翠綠的野草上水珠兒低語
我們要聽鵞黃的稻波上微風的足跡

我們要聽白茸茸的薄的雲紗輕輕飛起
我們要聽纖纖的水溝彎曲曲的歌曲

我們要聽徐徐渡來的遠寺的鐘聲
我們要聽茅屋頂上吐着一縷一縷的烟絲
我們要瞅着神秘的展開在灰綠的林際
我們要等過來了跣足的牧兒披着簑衣
我們要等河上凝着的淡霧慢慢的捲開
我們要等蕭瑟的樹枝滴滴落了他的珠玉

（二）

我們直走到各各的幽徑都遺了你的足跡
我們直走到你的桃紅的素足軟軟的蔭翳
我們直走到萬有都映着我們的影子
我們直走到我們的心波寂蟄在朦朧的懷裏
穿上你的輕飄的木屐 披上你的輕軟的外衣
趁看這細雨濛濛 我們到濕潤的田裏

（二五・四・三）

水飄

我拾起一塊小石頭
輕輕的打了一個水飄
水飄振搖 水飄振搖
我好像坐上 到遠國去了

若直若曲的海岸綫 纖纖的
藍玉玉的 寂寂的顫搖
覆着白紗的碧空中 銀白的小妖

乘着淡月的光絲 與睡着的
汪無際涯的 青綠的大海的氣調
應和着 閃閃的 飄飄的唱歌舞蹈
黑暗中低低的露出嬌嬌的女孩兒們的歌聲
金髮與金沙相波耀 淺水中泛着皎皎的素脚
空中時有一隻孤鴻扇扇的飛翔
水裏的鴛鴦煖煖的睡着了
浮動的 遠遠的林中如羊的頸鈴兒微微的隨呌
再什麼都像沒有了 ——看不見有吞人的巨舟閃爍

水飄飄搖　我好像這樣看見遠國了
——啊　水飄忽的又飄散了……
我又拾起一塊小石　想要……
啊　我不敢再投下去了

（四，四）

（38）

乞丐之歌

乞丐走進了村莊
乞丐在田間的道上
乞丐輕輕的歌唱
『啊 這是給窮人的恩賞
那處都是我們的家鄉
「家鄉在荒渡的渡頭
家鄉在古城的城上

家鄉傍那裏朦朧的池塘
啊 這是給窮人的恩賞
到處都是我們的家鄉

青翠柳是我的天幔
牧草是我的輕床
深更裏還聽得見黃鸝睡醒的歌唱
啊 這是給窮人的恩賞
到處都是我們的家鄉

(40)

—我臥在亂塚中央 荒涼的丘上
我望着落下了點點點點的星霜
接吻着處處的飛蟲了野薔薇的花香
啊 這是給窮人的恩賞
到處都是我們的家鄉

—我漫步沿海岸在人們都睡了的時光
我聽着片片的稻風 聲聲的打波
冷的魚腥中歌唱着的幾個西林姑娘
啊 這是給窮人的恩賞

到處都是我們的家鄉

「我坐十字路頭柳蔭廟旁
我冷笑着對着許願的燒香
我指量着虛偽燃在信心的頭上
啊 這是給窮人的恩賞
到處都是我們的家鄉

「水裏的娃娃都像是我的兒郎
老年的翁媼都像是我的爹娘

（待）

都像我的愛人 我都像抱過 妙齡的女郎
啊 這是給窮人的恩賞
到處都是我們的家鄉

一泉水呀 是我的椒湯
西風呀 是我的沉香
我吃飯總在神茶鬱壘——神仙——的身旁
啊 這是給窮人的恩賞
到處都是我們的家鄉

乞丐走進了村莊
乞丐在田間的道上
乞丐輕輕的歌唱
「啊 這是給窮人的恩賞
到處都是我們的家鄉」

（五、七）

（44）

北山坡上

我們乘着銀灰色的淡淡的瞑冥的天光
要靜靜的看月出到青青的北山的麓上
我們蜿蜒的爬上了幽險的山徑　展望
銅幫鍍底的松花江頭已圓圓的滾出了橙黃的玉般的月亮

遠遠的連山輕襯着烟紗籠着的浮動的村莊
天際上還如殘存着淺淺的夕陽的餘暎
若隱若現的野犬吠聲與風飄相交唱

時時吹送到三五聲定忏的喇叭的返響

木排上的燈火漸漸的表現出他們的纖纖的輕光

大概是木客們啊　正在把酒　高歌．話起了甜蜜的家鄉

沙汀裏時涉着幾個跣足的蕩舟的兒郎

靜止的白帆　越法灰淡　微迷着　斜依着蒼茫

山間的夾道上走過了一個担水桶的鄉人

斷續的激送來山泉中的一聲一聲的打水的動響

山寺的晚鐘徐徐的滑渡在綠蔭的梢上

（46）

徘徊的野犬對着我們欲吠却不聽張狂
看不見有飄動的游人的陰影來往
聽不見有感傷的愛的心搏微微振漾
只有我們兩個並仰臥在茸茸的靑草地上
瞅着流瀉出一根一根的月亮的光芒

滿城的居人都在喈喈的睡着了
怎會有半縷的炊烟從他們屋上出來了
天主堂的塔尖冷冷的遙望着對岸的兵工廠的廢墟的凋零

閃閃的月亮的銀鉧撫弄着水面的微睡的含笑
所有都是睡了 山也睡了 水也睡了
什麼都是睡了 人也睡了 狗也睡了
只有我臥仰着撫按着你的心波 莞爾的笑着
啊 好如告訴我們什麼似的消息 山泉的潺潺越法的清楚了
啊 怎又來了一聲晚行人的歸歌調
啊 不肯念經的和尚怎又把鐘擂響了
啊 時如浮紗似的走了 如芽幽岔似的走了

(48)

但不要忘了這草茵
月影
那音波
色浪——啊 心愛的家鄉

（二五，五，五，夜）

落花

我願透着寂靜的朦朧 薄淡的浮紗
細聽着淅淅的細雨寂寂的在簷上激打
遙對着遠遠吹來的空虛中的嘆息的聲音
意識着一片一片的墜下的輕輕的白色的落花
落花掩住了鮮苔 幽徑 石塊 沉沙
落花吹送來白色的幽夢到寂靜的人家
落花倚着細雨的纖纖的柔腕虛虛的落下

落花印在我們唇上接吻的餘香 啊 不要驚醒了她
啊 不要驚醒了她 不要驚醒了落花
任她孤獨的飄蕩 飄蕩 飄蕩 飄蕩在
我們的心頭 眼裏 歌唱着 到處是人生的故家
啊 到底哪裏是人生的故家 啊 寂寂的總有落花
妹妹 你願意罷 我們永久的透着寂寞的窗紗
細細的深嘗着白色的落花深深的踏下
你弱弱的傾依着我的路脖 細細的聽歌唱着她

「不要忘了山巔 水涯 到處是你們的故鄉 到處你們是落花」

（二五，六，九）

（52）

蘇武

明月照耀在荒涼的金色沙漠
明月在北海面上揚着嬌嬌的素波
寂寂的對着浮蕩的羊羣 直立着
他覺得心中激動了狂濤 怒海 一瀉的大河

一陣的朔風冷冷的在湖上渡過
一陣的朔風冷冷的吹進了沙漠
他無力的虛拖着腐亂的節杖 沉默

許多的詩來在他的脣上　他不能哀歌

遠遠的天際上急急的渡過了一回黑影
啊　誰能告訴他汗胡的勝敗　軍情
時時斷續着嗚咽的　蕭涼的胡笳聲

秦王的萬里城絕隔了軟軟的煖風
他看不見陰山脈　但他忘不了白登
啊　明月一月一回圓　啊　月月單于點兵

(六，十七)

(54)

我願……

我願奔着遠遠的點點的星散的蜿蜒的燈光
獨獨的 寂寂的 慢走在海濱的灰白的道上
我願飽嘗着淡淡消散的一口一口的芳馥的稻香
我願靜靜的聽着刷在金沙的岸上一聲一聲的輕輕的打浪

我願走坐在那裏的路旁 那一片松原裏的橫臥的石上
我願寂對着一渦一渦的迴浪滾在那裏的岩石的窩上
我願細細的思維着掠在石面上的介殼的不住的滄桑

朦朧的憧憬着那裏　那裏　那裏　那裏的虛無的家鄉
我願寂對着那裏古樹底下枯葉掩着的千年的石像
我願凝視着掩住了柴屏的茶屋前的虛設的空床
我願笑對着微動的泊舟吐不出烟絲不能歌唱
默默的夢想着那裏的天邊的孤鳥　散散的牛羊

啊　到底哪裏是我的故鄉　哪裏的山頭　哪裏的角上
哪裏的風中　哪裏的雲鄉　還是呱呱波動的青蛙的聲聲淚
啊　我願寂寂的獨獨的慢步在夜半後的海濱的道上

（56）

我願熱熱的熱熱的奔着到那遠遠的燈光 而越奔越奔不上

（二五，七，一〇）

薄暮的鄉村

渺渺的冥濛
輕輕的
罩住了浮動的村莊
茅茸的草舍
白土的院牆
軟軟的房上的餘煙
三三五五 微飄飄的 寂立的白楊
村前

村後

村邊的道上
播散着朦朧的 朦朧的 夢幻的 寂靜的沉香
和應着梭似的渡過了的空虛的翅膀
漫漫在虛線般的空間的蜿蜒的徑上
編柳的柵戶
掩住了安息的牛羊
牧童坐在石上微微的低吟
犬臥在門旁
稚氣的老嫗慮慮的吸着葉菸

微笑着默默的對着兒孫
吮着院心的羣鷄吃穀的塔塔的聲響
蝙蝠急急飛過的迴波
慢慢彈起來的唧唧唧唧蟲聲的叫浪
遠遠的
田邊的道上
溫和的鄉人 斜依着
瞰着遙遙的天際 綿綿的連山的蕩漾
沉思着緩緩滑過的白帆在閃閃的灰白的纖纖的綫上
村後的沙灘

(60)

時時彼送來一聲的打槳
密密的柳蔭中的徑裏
斷續着晚行人的歌唱
水溝的潺潺寂響……
旋搖在翁空與淡淡的平原之間
悠悠的故鄉
雲紗的蒼茫

（二五，七，二四）

山村

稀陰的松杉
起伏的山田
抱住了小小的村莊
逶迤參差 低矮矮的幾十的茅簷

風聲飄颻
和着流水的潺潺 瀑布 山泉……
水車激激的旋轉

打打的吐着泡沫 石砌的河邊
散亂的乾草
狼藉在道上 村間 橋頭 河岸
掛着紅色烟草看版的草舍的階前
咕咕咕咕羣雞散叫的庭園

推石的低低的短牆
爬着牽牛花的枝莖
石隙間叢叢的生着青草

牆腳下安安的臥着一隻黃犬
茅簷下 一個老婦徐徐的抽烟
裸着懷 流着汗 呆對着玉蜀黍的梢尖
汽水……餅乾……煎茶……捲烟……
微笑着 好如說 行人 休息 談閑

板橋上過着汗喘的鄉人……
游散的村兒 徘徊的野犬……
這是我讀「投到海上的浮瓶」到河邊 幽徑 林間

（住）

那日右岸的山村 蜘蛛淵畔

(二五，七，三〇)

心響

幾時能看見九曲黃河
盤旋天際
滾滾白浪
幾時能看見萬里浮沙
無邊荒涼
滿目蒼茫
啊 廣大的故國

（66）

人格的廟堂
啊 憧憬的故鄉呀
我對你 爲什麼現出了異國的情腸
飄零的幽魂
幾時能含住你的乳房
幾時我能擁你懷中
啊 禹域 我的母親
啊 神州 我的故邦

啊　死者的血炎
啊　人心的叫響
地心濳在猛火的燃騰
啊　雲山蒼茫
啊　我對你爲什麼作異國的情腸
啊　幾時能看見你流露春光
啊　幾時能看見你雜花怒放
神州　禹域　朦朧的故鄉
幾時人能認識你的燦爛的黃金的榮光

(68)

啊 人格的廟堂
我爲什麼對你作異國的情腸
啊 落霞的西方
啊 無涯的雲鄉

（七，三）

不忍池上

一聲一聲的幽睡的鐘聲
滴滴的凝入了細雨的濛濛
微振 寂飄 旋搖 徐散 薄凝……
和應着交響的千聲萬聲——
反響的同聲 無限的合鳴

點點的鐘聲 隨着浮動的悠悠的雲紗
點點的鐘聲消散在林梢 樹叢 柳蔭 水涯
點點的鐘聲罩住了朱壁 朱欄 辨財天的家

(70)

灰色的天際
白色的烟絲
巍巍的高樓 低低的矮房
渺渺茫茫 夢幻在白色的霧裏

一陣一陣的微風掠住了蓮葉蓮蓬蓮花……
一陣一陣的微風弄着鐘聲的水上落花
一陣一陣的微風好像送鐘聲到各各的人家

遙望的近旁 微動着小小的孤舟 依着浪花
飄蕩的浮萎上 輕輕的 臥着兩個鴨鴨
遙遙的對岸上 一個紅裙的少女 撐着綠傘 呆對着天涯

汽笛嗚咽 好像怕 越法的不清
電車懶懶的動着如不願前行
時時惟聽見打打打打的木屐兒聲

無限的朦朧
蕩漾的憧憬

(72)

我心裏：
顯時時振蕩着
若聚若散
玲瓏的鑰聲

（一五，七，一）

薄光

來 走到那蒼涼的原上
看虛虛的攪亂了那淡黃的薄光
谷中 天邊 田間 道上……

啊 幾時能捉住這夕暮的薄光

豹皮般的枯葉無力的弄着風響
凜凜的猷猷顫顫的等着凝霜

(74)

遠遠的古城似的墟頭並立着直丁丁的空餘烏巢的株株的白楊
啊 那是什麼人 走在那淡黃的道上
看那腐草沒着的小河罩着的灰黃
啊 看不見了 漫歌的牧童 蜿蜒的岸上
那電桿的梢頭是不是還餘着聲聲燕子 空空的餘響
啊 我愛這衰弱的自然 薄籠着澹淡的黃光
在那裏 當年人打馬回鄉 平滑的道上

在那裏 還餘着坐牛車過路 老婦的回想
看那歪外外的野店的屋頂 要倒的店前邊的桿蜆
啊 聽見麼 一點一點的 告訴我們當年的情腸 澹淡的黃光

黃光瀰溢了莽莽的平原 禹域的茫茫
黃光喚起了無限的白亮 希望的憂傷
澹淡的消散 酸酸的 湧起了冷的油煎的心腸

啊 願不願永遠捉住 永遠捉不住的 澹淡的黃光

(76)

來 走到那衰涼的原上
看那不住散滅的無限的永久的黃光
捉住 捉住 捉住 捉住 無限的黃光
啊 我們共他一同消滅能 永久的黃光

〔三五、八，二四〕

烟雨中

沙烟般的疎鬆
醉乳般的濛濛
輕浮浮的
浸住了如睡的寂城

霧騰騰的 水邊楊柳
戰戰的震盪着衰廢的高樓
灰色的天空交映着黃色的河流

(78)

嗚咽的汽笛和應着新夢的泊舟
千年堆積的塵埃 腐草 糞土 瓦塊
送出了無限的糅香 永遠的徘徊
野犬虛吠 遙對水邊 不知行人來
古木橋頭 寂寂過路 斷續的悲哀

遠遠的一片高牆閉上了神祕之扉
院裏大概是滿目蓬蒿 荒塚纍纍
打打的迸泥 自働車高唱着永久的凱歌
天邊的烟囱 仍不住 吐吐的 吐着濃淡的煤灰

（79）

默默的少女 出神着 輕挑着綠傘 側對着水涯
遙望着 遠遠走過了 一隻的小舟 並點點的雲紗
黃金陷牢中 好像時時送出來虎 豹 熊 羆的吼聲
啊 誰能看出了高山 深林 風梢 水涯 是他們故家
啊 滿城的淒冷
啊 萬有的朦朧
啊 憧憬啊
你到是永遠的灰淡 你到是永遠的光明

（九，四，下午）

(80)

夏夜的伊東町裏

我愛寂寂的漫步在田間的道上
心裏往來着欲說却說不出的情腸

我愛慢慢的散步在灰白的道上
對着萬有浮動 振蕩 疎散 無限的交響

我愛看斜依着門前農家的胖胖的姑娘
我愛看樸素的老婦赤足裸腿坐在道旁的石上

我愛看癡呆呆的兒捕流螢傍田間的水溝
我愛看散步歸來的少年輕輕的牽着小狗
我愛看完了活的工人三三五五的過路
我愛看低吟的鄉人寂寂的跟着慢慢的老牛
我愛看茸茸的鉛黑淨化了遙遙的山莊
我愛看淡淡的霧幕罩住了點點的草房
我愛看自働車的飄影走進了夾道的山間

(82)

我愛看梭似的一輛二輪車疾的飛向海邊
我愛看閒散的人們隨隨便便聚在十字路旁的冰屋
我愛看初戀的朋友搭肩 握手 並立在板石的橋頭
我愛看低柳蔭中矮矮的地藏跟前的插花
我愛看高興的青年走過路上抱着一個大西瓜
我愛看竹叢的神幽 我愛看松檜的梢頭
我愛看河邊 橋頭 的看板 並河中的泊舟

我愛看空氣的朦朧 我愛看天色的烱動
我愛看遠遠的燈光 不知哪裏 若滅 若明
我愛看山根底下頹廢的神社 三兩木架的牌房
我愛看田間的一棵大樹寂寂的聽着水響
我愛寂寂的漫步在田間的道上
心裏往來着欲說却說不出的情腸

(84)

我愛看慢慢的散步在灰白的道上
對着萬有的浮動 振蕩 疎散 無限的變響

（一九二五，九，一三）

與旅人——在武藏野的道上

奔遙遙的天邊
奔渺渺的一線
奔雜雜亂亂 灰綠的樹叢
奔霧瘴瘴的若聚若散的野烟
旅人呀 踏破了走不盡頭的淡黃的小路
問遍了點點的村莊 青青的桑圃 滿目的農田
旅人呀 前進 望茫茫的無限
旅人呀 哪裏是你的家鄉 哪裏是我的故園

(86)

不要忘我們的水溝
不要忘我們的橋頭
不要忘田邊 水上 拴着我們的老牛
不要忘我們的柴車 我們的背影 我們的萊蕪
旅人呀 走過了那漫坡坡的小丘
問遍了那裏的鎮市 那裏的人家 那裏的街頭
旅人呀 前進 對茫茫的宇宙
旅人呀 不要問哪裏是歡樂 而哪裏是哀愁

（二五，一〇，六夜半）

雨絲

一縷一縷的心思
織進了纖纖的條條的雨絲
織進了淅淅的朦朧
織進了微動微動微動線線的烟絲

織進了遠遠的林梢
織進了漠漠冥冥點點零零參差的屋梢
織進了一條一條的電絃

(88)

織進了溘瀰的吹來不知哪裏渺渺的音樂
織進，烟霧籠着的池塘
織進了睡蓮絲上一凝一凝的飄零的烟網
織進了無限的獃夢水裏的空想
織進了先年故事不知哪裏渺渺茫茫
織進了遙不見的山巔
織進了風聲雨聲打打在閒那裏的林間
織進了永久的回旋寂動寂動遠遠的河灣

織進了不知是雲是水是空是實永遠的天邊
織進了今日先年都市農村永遠霧永遠烟
織進了無限的朦朧朦朧——心絃——
無限的澹淡無限的黃昏永久的點點
永久的飄飄永遠的影永遠的實永遠的虛線

無限的雨絲
無限的心絲
朦朧朦朧朦朧朦朧朦朧

(90)

纖纖的織進在無限朦朧之間
一縷一縷的心絲
纖纖的
織入
一條一條的
雨絲
之中間

（二五，一二，二八，中野）

蒼白的鐘聲

蒼白的 鐘聲 衰腐的 朦朧
疎散 玲瓏 荒涼的 濛濛的 谷中
——衰草 千重 萬重——
聽 永遠的 荒唐的 古鐘
聽 千聲 萬聲

古鐘 飄散 在水波之皎皎
古鐘 飄散 在灰綠的 白楊之梢

(92)

古鐘 飄散 在風聲之蕭蕭

——月影 逍遙 逍遙——

古鐘 飄散 在白雲之飄飄

一縷 一縷 的 腥香

水濱 枯草 荒徑的 近旁

——先年的悲哀 永久的 憧憬 新釀——

聽 一聲 一聲的 荒涼

從古鐘 飄蕩 飄蕩 不知哪裏 朦朧之鄉

古鐘 消散 入 絲動的 游烟

古鐘 寂蟄 入 睡水的 微波 潺潺
古鐘 寂蟄 入 淡淡的 遠遠的 雲山
古鐘 飄流 入 茫茫 四海 之間
——暝暝的 先年 永遠的 歡樂 辛酸

軟軟的 古鐘 飛蕩隨 月光之波
軟軟的 古鐘 緒緒的 入 帶帶之銀河
——呀 遠遠的 古鐘 反響 古鄉之歌——

(94)

遼遠的 古鐘 入 蒼茫之鄉 無何
聽 殘朽的 古鐘 在 灰黃的 谷中
入 無限之 茫茫 散淡 玲瓏
枯葉 衰草 隨 呆呆之 北風
聽 千聲 萬聲——朦朧 朦朧——
荒唐 茫茫 敗廢的 永遠的 故鄉 之 鐘聲 聽 黃昏之深谷中

（二六，一 二，東海道上）

朝之埠頭

油灰的 朝靄
濃烟
乳滴滴 凝散
薄冥 的 微睡之間

若不見——
遠遠的 雲山
一線——

澌澌的 在灰色大空之間
寂鳥 不見
永去 不還
永遠 陶醉——
幻散 在 軟軟的 濃網 如烟
若振的 檣桅
纖纖——
素描 輕鈎——

絲絲的排立 神經 虛幻 寂眠
輪廓 的 樓房
點點……
比擬的細線 虛絃
隱隱 瞑瞑 薄薄的 紗烟

鳴叫 哀鳴
遠行船——
噴烟 向 無限 天邊

98)

去——不還——

萬有 飄浮
現幻 茫茫的 灰淡 頓頗
如醉 朝霧 無限……
濃烟——
油灰的 天空 之 中間——

（二六・一・二二・神戸）

(93)

猩紅的灰黯裏

吮不盡了
猩紅境中
乾涙的酒杯
嘗不出了
灰黯裏
無言的哀悲

啊

(100)

荒塚
壘壘
滿目 蕭涼——
紙灰

不要問——
行人
落花
流水
看——

無涯的衰草
沉媚的水湄

啊
嗑不盡了
永久的乾杯
啊 猩紅——紙灰——

（二六、四、二四，夜三時，不眠中；中野）

（102）

鷄鳴聲

鷄鳴聲
喚不起
眞的
哀悲
我不知
哪裏是家
哪裏是國
哪裏是愛人

應向哪裏歸
啊 殘燈 敗頹

鷄鳴聲
引不起
新的
酸情
我不知
哪裏是明
哪裏是暗

(101)

哪裏是朦朧
應奔哪裏行
啊 敗頽 殘燈

（二六，四，二四．夜三時半，中野）

絃上

忘盡了罷　青春的徘徊
忘盡了罷　猩紅的悲哀
啊　無限的追憶呀
那都是夢裏的塵埃

青蛙聲聲　喚不起你的故鄉
闇裏的燈光　燃不出你的愁腸
啊　朦朧中的幻影啊

(106)

那都是朦朧的家鄉

明日的幽夢 自是流水落花
情熱的 Romance 也是點點晚霞
啊 憧憬中的歡樂啊
那卻是悲哀的萌芽

朋友 緊緊的關住了門窗
聽我們的心波在黑暗中交響
啊 唯有那瞬間的酒杯呀

能淩住我們心裏的灰黃

（二六，六　一一．廣東）

（108

沉默

青春的歡樂 猩紅的 繞 澹淡的 燈光
在朦朧裏 在朦朧上 悠的 不知飄向哪裏去了
淡淡的燈光 冷冷的 對遙遙的遠山 無一隻人影
寂靜 鐺鐺的聲音 聲聲的蛙叫 再沒有什麼
舟子 擺舟在無盡的江頭 黃色的空氣裏

情熱的 Romance 不知哪裏去了 濃淡的燈光 在朦朧裏 在朦朧
上 仍寂寂的飄蕩 寂寂的蕩搖

（二六 六，一一 廣東）

附錄

復活日

「散文詩」

禮拜的鐘聲響了。

牧師上了講臺，拿起一本大書，對衆人說：『看約翰二十章一節。』那是主的復活日。

牧師說：『主是爲我們死的，他又爲我們復活；我們可以從聖經裏查考出來，可以用靈眼看見。』

衆人聽着很肅靜；有人說：『阿門！』

牧師開開聖書，瞅着衆人發默；他看見第一篇沒有字，但

(113)

畫着一個赤裸裸的女孩兒釘在十字架上。

牧師閉上了聖書，祈禱上帝饒恕。

牧師禱告完了，開開了第二篇：但那裏也沒有字，但畫着一個赤裸裸的男孩兒，抱着一個赤裸裸的死女孩兒。

牧師閉上了聖書，祈禱上帝饒恕。

牧師禱告完了，開開了第三篇：但那裏也沒有字，但畫着一個赤裸裸的男孩兒，親着一個赤裸裸女孩兒的嘴，她已經復活了。

牧師說：『阿門！』他對衆人獃着。

衆人一個抱着一個親着嘴：男孩抱着女孩…………………

(114)

牧師又說：『阿門！』

那時遠遠的聽見天使的歌聲；天雨下了花；蝴蝶在衆人頭上舞着；茫茫的人們好似看見了一個赤裸裸的女孩兒坐在蓮花座上，抱着一個赤裸裸的男孩兒，兩頰紅玉似的笑着說，『我已經復活了。』

（三一，九，一四）

譚詩

——寄沫若的一封信——

沫若：

——昨天晚上看見很好的Scene，在日比谷，月光中，乃超突的向我說，在我推開他的七號室門，當我在一日午後到青年會的時候。那時，他還未想起來，因爲他是一個詩人罷？

他隨卽給我看他的還未草就的Pierrot——因爲我搶，他不給不成——但，對不起他，我並未想讀，因爲我的空想完全跑在月光的身上。

我忽的想作一個月光曲。用一種印象的寫法，表現月光的運動與心的交響樂。我想表漫漫射在空間的月光波的振動，與草原林木水溝農田房屋的浮動的稱和。及水聲風聲的響動的振漾，特在輕輕的紗雲中的月的運動的律的幻影。我不禁向乃超說：『若是用

月光，月光，月光，月光，月光，……

四疊五疊的月光的交振的緩調，表雲面上月的運動，作一首月光的詩如何？我以爲如能成功，這種寫法或好。』

給我這種的暗示，或者是拉佛格（Jules Laforgue 1860—1887）我在前一個禮拜的時候，曾偶讀了他的「冬天來了」

(Lhiver qui Vient)在 Ed. Van Bever & Paul Léauteaud的「今日的詩人」(Les Poetes d Aujourd'hui)中（拉佛格全集二册八一至四頁）偶然深愛：

Les cors les cors, les cors——Melancoliques……

Melanoolique !……

S'en vont, changeant de ton,

Changeant de ton et de musique,

Ton ton, ton taine, ton ton!……

Les oors, les cors, les cors!……

S'en sont alles au vent du Nord,

以先我時常想讀拉佛格的詩、大概因爲是念不懂，所以未得念。前讀此首，如獲重寶，此或給我暗示，亦未可知。

我同乃超談到詩論的上邊，談到國內的詩壇的上邊、談些個我們主張的民族彩色．談些個我深吸的異國薰香，談些個腐水朽城，Decadent 的情調，我們的意見大概略同。他又讓我看他新作的「沉落的古伽藍」，那是從法國及路馬路西格斯的告別音樂會演奏的得必西 Debussy 的 La Cathedrale englotie 中得的印象。我對於他的那首詩的印象音調——三部曲，第三曲倘未完成，在我看的時候——非常愛，我以爲堪有純粹詩歌 (la Poesie Pure) 的價值。

我們的要求是「純粹詩歌」。我們的要求是詩與散文的純粹的分界。我們的要求是「詩的世界」。乃超讓我把我的詩的意見寫出，我以爲太平凡；但囘來想想，或似有寫出的必要。因略略想談出一些。

乃超想廢學囘國，開一座「咖啡」，我不知能否實現？其實，我何嘗能談詩，我何嘗有談詩的資格。我與詩生關係，若不多算不過一年。在前年（一九二四）的六月以前，我完全住在散文的世界裏。因爲我非常愛維尼（Alfre l de Vigny）的思想，而且因我似有點苦悶，在前年的夏期休假中，織麗優美的伊東海岸上，我胡亂的讀了那位「象牙塔」中的預言者的詩集。自今想起來讀「投到海上的浮瓶」(La Bouteille a la Mer) 在蜘蛛淵畔還望野犬徘徊在河邊幽徑上，甚爲有味。但那時究竟是我的ＡＢＣ。實在我的詩的改宗。自去年二月算一個起頭，以前，雖作了三二，究是嘗試中之嘗試。

去年四月伯奇自京都來東京，和我們談了些詩的雜話。伯奇於三月在京都帝大卒業，我曾寄他一本毛利雅斯(Jean Moeras 1856—1910)的「絕句集」les Stances)，他非常愛好他，記他說毛利雅斯的絕句如水晶珠滾滾在白玉盤上。他來的那時，我正嗜談沙曼(Albert Samain 858—1900)。那時我同他提起詩的統一性(unite)的問題，但對於詩還是沒有什麼深的意識。從那時到現在我積了些雜碎的感想。

以上是我詩的動機，與詩的生活的經過。往下雜亂間談我的感想。

詩的統一性。我的主張，一首詩是表一個思想。一首詩的內容，是表現一個思想的內容。中國現在的新詩，眞是東鱗西爪；好像中國人不知道詩文有統一性之必要，而無 unite 爲詩之大忌。第一詩段的思想是第一詩段的思想，第二詩段是第二詩段的思想。甚至一句一個思想，一字一個思想，思想眞可稱未嘗不多。（這眞如中國的政治一樣！）在我想，作詩應如證幾何一樣。如幾何有一個有統一性的題，有一個有統一性的證法，詩亦應有一個有統一性的題，而有一個有統一性的作法。例如維尼的詩「摩西」(Mo'se)，他那種「天才孤獨」的思想是何等統一，他那種寫法是何等的統一。如同鮑歐(Poe)的「烏鴉」(the Raven)也可作一個適例。如讀毛利雅斯的「絕句集」，甚可感全詩集有一個統一性。勿論是由於 Fantaisie 產出來的詩，是由宗教心產出來的詩，都是得有統一的。因爲詩是在先驗的世界裏，絕不是雜亂無章，沒有形式的，如同杜牧之的那首象徵的印象的彩色的名詩：

煙籠寒水月籠沙

夜泊秦淮近酒家

(124)

商女不知亡國恨
隔江猶唱後庭花

是何等的秩序井然，是何等統一的內容，是何等統一的寫法。由朦朧轉入清楚，由清楚又轉入朦朧。他官能感覺的順序，他的感情激蕩的順序：一切的音色律動都是成一種持續的曲線的。裏頭雖有說不盡的思想，但裏頭不知那裏人總覺是有一個思想。我以爲這是一個思想的深化，到其昇華的狀態，才能結晶出這個。但你如讀杜牧之的「折戟沉沙……」的詩，你覺不覺出牠的上二句是一個統一的東西，下二句又是一個，上二句與下二句如用膠水硬貼到一同似的，總感不出統一來。要求詩的統一性，得用一種涉企的工夫。

與詩的統一性相關聯的是詩的持續性。一個有統一性的詩，是一個統一性的心情的反映，是內生活的眞實的象徵。心情的流動的內生活是動轉的，而牠們的流動動轉是有秩序的，是有持續的，所以牠們的象徵也應有持續的。一首詩是一個先驗狀態的持續的律動。讀一首好的詩，自己的生命隨着牠的持續的流流動，讀一首壞的詩，無統一的詩，覺着不知道怎辦好，好如看見自動車跑來一樣：這是一般都能覺出來的罷。若是讀拉馬丁 (Lamartine) 的「湖水」(le Lac) 是不是感得出什麽東西——時間？運命？——在意識中流轉，不停的持續的流轉。持的是不斷的，一首詩就怕斷絃。杜牧之的一折戟沉沙……一的毛病，就是續絃的原故。勿論律動是如何的鬆，如何的弛緩，如何的輕軟，好的詩永是持續的。詩裏可以有沉默，不可是截斷；因爲沉默是律的持續的一形式。你如漫步順小小的川流，細聽水聲，水聲縱時有沉默，但水聲不是沒了，如果水聲是沒了了，是斷了，你得更新聽新的水聲了。中國現在的詩是平面的，是不動的，不是持續的。我要求立體的，運動的，在空間的音樂的曲線。我們要表現我們心的反映的月光的針波的流動，水面上的烟網的浮飄，萬有的聲，萬有的動：一切動的持續的波的交響樂。持續性是詩的不可不有的最要的要素呀！

以上可以說是我的詩之物理學的總觀。結起來可以說我們要求的詩是——在形式方面上說——一個有統一性有持續性的時空間的律動。

我們要求的詩是數學的而又音樂的東西。

詩的內容是得與形式一致：這是不用說的。實在說，內容與形式是不可分開。雄壯的內容得用雄壯的形式——律——去表。清淡的內容得用清淡的形式——律——去表。思想與表思想的音聲不一致是絕對的失敗。暴風的詩得像暴風聲，細雨的詩得作細雨調。詩的律動的變化得與要表的思想的內容的變化一致。這是最要緊的。現在新詩流行的時代，一般人醉心自由詩(Vers libres)，這個猶太人發明的東西固然好；但我們得知因爲有了自由句，五言的，七言的詩調就不中用了不成？七絕至少有七絕的形式的價值，有爲詩之形式之一而永久存在的生命。因爲確有七絕能表的，而詞不能表的，而自由詩不能表的。自由詩裏許有七絕詩的地位罷？記得在京都時同伯奇由石山順瀨田川奔南鄉時，大家以爲當地景緻用絕句表爲最妙。因爲自由詩有自由詩的表現技能，七絕有七絕的表現技能，有的東西非用牠表不可。譬如黑雷地亞(Jose Maria de Heredia 的詩形似非十四行(Sonnet)不可似的。我們對詩的形式力求複雜，樣式越多越好，那麼，我們的詩壇將來會有豐富的收穫。我們要保存舊的形式，讓牠為形式之一，我們也要求散文詩。

中國一般人對散文詩，是不是有了誤解我不知道。我自己懂散文詩不懂，我也不敢說。在我自己想散文詩是自由句最散漫的形式。雖然散文詩有時不一句一句的分開——我怕牠分不開才不分——牠仍是一種自由詩罷？所以要寫成散文的關係，因為旋律不容一句一句分開，因旋律的關係，只得寫作散文的形式。但是牠的詩的旋律是不能滅殺的，不是用散文表詩的內容，是詩的內容得用那種旋律才能表的。讀馬拉梅（Stephane Mallarme）的「烟管」(la Pipe)牠的調子總是詩的律動。散文詩是旋律形式的一種，如可羅迭兒(Claudel)的節句(Verset)

(130)

爲旋律的形式之一種一樣。我認爲散文詩不是散文，Poeme en prose 不是 Prose，散文詩是旋律形式之一種，是合乎一種內容的詩的表現形式。

中國人現在作詩，非常粗糙，這也是我痛恨的一點。我喜歡 Delicatesse。我喜歡用烟絲，用銅絲織的詩。詩要兼造形與音樂之美。在人們神經上振動的可見而不可見可感而不可感的旋律的波，濃霧中若聽見若聽不見的遠遠的聲音，夕暮裏若飄動若不動的淡淡的光線，若講出若講不出的情腸才是詩的世界。我要深汲到最纖纖的潛在意識，聽最深邃的最遠的不死的而永遠死的音樂。詩的內生命的反射，一般人找不着不可知的遠的世界，深的大的最高生命。我們要求的是純粹詩歌 (the Pure Poetry)我們要住的是詩的世界，我們要求詩與散文的清楚的分界。我們要求純粹的詩的感興 (Inspiration)。

詩的世界是潛在意識的世界。詩是要有大的暗示能。詩的世界固在平常的生活中，但在平常生活的深處。詩是要暗示出人的內生命的深祕。詩是要暗示的，詩最忌說明的。說明是散文的世界裏的東西。詩的背後要有大的哲學，但詩不能說明哲學。杜牧之的「夜泊秦淮」裏確暗示出無限的形而上學的感——因其背後有大的哲學——但他絕不是說明爲形而上的感。如同法國的高踏派詩人 Su ly-Pru homme 的哲學詩，我實不敢讚

(142)

嘆，但你如讀拉馬丁，維尼，以及象徵運動以後的詩，你總覺有無限的世界在環繞你的周圍，用有限的律動的字句啓示出無限的世界是詩的本能，詩不是像化學的 $H_2+O=H_2O$ 那樣的明白的，詩越不明白越好。明白是概念的世界，詩是最忌概念的。詩得有一種 Magical Power。

中國的新詩的運動，我以爲胡適是最大的罪人。胡適說：作詩須得如作文：那是他的大錯。所以他的影響給中國造成一種 Prose in Verse 一派的東西。他給散文的思想穿上了韻文的衣裳。結果產出了如

紅的花

黃的花
多麼好看呀
怪可愛的

一類的不倫不類的東西。昨天乃超說某君出版之詩集中有「不嫖不賭」一類妙句。胡適說他因讀 Browning 才案出了自由句——其實那位猶太人 G. Kahn 的發明三十年前——他確把 Browning 的說明的彩色學來了。果說明的東西可爲詩，法律政治物理化學天文地理的記錄都是詩了。詩不是說明的，詩是得表現的。

伺乃超談起李杜時，我說就時代上說，放在時代裏，杜甫是在李白以上的大詩人。如同在法國的浪漫的時代裏看嚣俄(Victor Hugo)是在維尼以上的大詩人。但是就詩人的素質Temperament上說，李白是大的詩人，杜甫差多了；李白的世界是詩的世界，杜甫的世界是散文的世界。李白飛翔在天堂，杜甫則涉足於人海。讀李白的詩，即總覺到處是詩，是詩的世界，有一種純粹詩歌的感，而讀杜詩，則總離不開散文，人的世界。如同在對於詩的意識良心上說，嚣俄的詩的情感不如維尼遠了。在我的思想，把純粹的表現的世界給了詩歌作領域，人的生活則讓散文擔任。(近讀了 Bernard Fay Panorama de la Litterature Contemporaine 一部很好的概觀的現代法文學的書，得暗示不少，希望能與法國文學有緣者，讀牠一下）我們要把詩歌引到最高的領域裏去。

或者你要問我說：『你主張國民文學——國民詩歌——你又主張純粹詩歌，豈不是矛盾麼？』啊！不然。國民的生命與個人的生命不作交響(Correspondance)，兩者都不能存在，而作交響時，二者都存在。巴理斯 (Maurice Barres) 把美的 (Beau) 與畫的 (Pittoresque) 分開，(參照 Colette Baudoche) 我們要表現的是美的，不是畫的。故園的荒丘我們要表現牠，因為牠是美的，因為牠與我們作了交響 (Correspondance)，故才是美的。因為故園的荒丘的振律，振振的在我們的神經上，

(136)

啓示我們新的世界；但靈魂不與牠交響的人們感不出牠的美來國民文學是交響的一形式。人們不達到內生命的最深的領域沒有國民意識。對於淺薄的人國民文學的字樣不適用。國民的歷史能爲我們啓示最大的世界，先驗的世界，引我們到 Nostalgia 的故鄉裏去。如此想，國民文學的詩，是最詩的詩也未可知。我要表現我們北國的雪的平原，乃超很憧憬他的南國的光的情調，因我們的靈魂的 Correspondance 不同罷？我們很想作表現敗墟的詩歌——那是異國的薰香，同時又是自我的反映——要給中國人啓示無限的世界。腐水廢船，我們愛牠，看不見的死了的先年(Antan Mort) 我們要化成了活的過去 (Passe

Vivant)。我要抹殺唐代以後的東西，乃超要進，還要古的時代——先漢？先秦？聽我們的心聲，聽我們故國的鐘聲，聽先驗的國裏的音樂。關上園門，囘到自己的故鄉裏。國民文學的詩歌——在表現意義範圍內——是與純粹詩歌絕不矛盾。

關於詩的韻（Rime），我主張越複雜越好。我試過在句之中押韻，自以爲很有趣。總之韻在句尾以外得找多少地方去押，不押韻的詩也有好處。韻以外，我對「句讀」有一點意見。我主張句讀在詩上廢止。句讀究竟是人工的東西。對於旋律上句讀却有害，句讀把詩的律，詩的思想限狹小了。詩是流動的律的先驗的東西，決不容別個東西打攪。把句讀廢了，詩的朦朧性愈大，而暗示性因越大。

最末，我要總一句說，我們如果想找詩，我們思想時，得當詩去思想 (Penser en poesie, to think in poetry)。波得雷路 (Baudelaire) 的毛病在先作成散文詩，然後再譯成有律的韻文。先當散文去思想，然後譯成韻文，我以爲是詩道之大忌。我得以詩去思想 Penser en poesie。我希望中國作詩的青年，得先找一種詩的思維術，一個詩的邏輯學。作詩的人，找詩的思想時，得用詩的思想方法。直接用詩的思考法去思想，直接用詩的旋律的文字寫出來：這是直接作詩的方法。因爲是用詩的邏輯想出來的文句，所以他的 Syntaxe 得是很自由的超越形式文法的組織法。換一句說，詩有詩的Grammaire，絕不能用散文的文法規則去拘泥牠。詩句的組織法得就思想的形式無限的變化。詩的章句搆成法得流動，活歎，超於散文的組織法，用詩的思考法去想，用詩的文章搆成法去表現，這是我的結論。我們最要是Penser en poesie

以上是我的對詩近來的雜感，斷片的寫出，你的意見如何？

近好。

（十五，一，四，中野，木天）

(140)

目錄

旅心

附錄